Self-esteem lesson for children

自分をすきになる

こころの練習帳

著 イ ジョンホ

絵 パン イニョン

訳 岡崎暢子

小学館

この本の使い方

〝自分自身を大切に思い、すきになる心〟のことを「自尊感情」と言います。それは、キミ自身がどんなに大切ですばらしい存在であるか、自分に満足しているのかどうかを知らせてくれるとっても大切な気持ちのことです。

この本を読むみなさんが、弱点や欠点をふくめたありのままの自分となかよくして、自分の考えやすきなことを大切にして、自分をはげましたりなぐさめたりできるように、また、好ききらいだけでほかの人を判断しないで、前向きな気持ちで困難に立ち向かえる人になれるように、この本といっしょに練習していきます。

この本で練習するように考えたり行動したりすることで、キミの「自尊感情」がすくすく育って、自分自身をもっとすきになれることを願っています。

この本の著者　イジョンホより

自尊感情を育てるための今日の目標

自尊感情を高めるためのヒント

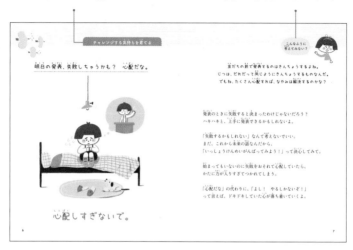

ふだんの生活でできる自尊感情を育てる練習法

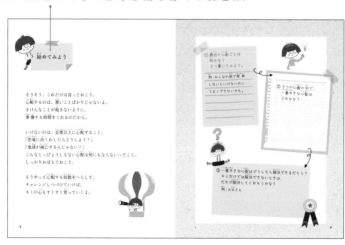

もくじ

明日の発表、失敗しちゃうかも？ 心配だな。

心配しすぎないで。

友だちの前で発表するのはきんちょうするよね。
じつは、だれだって同じようにきんちょうするものなんだ。
でもね、たくさん心配すれば、なやみは解決するのかな？

発表のときに失敗すると決まったわけじゃないだろう？
ハキハキと、上手に発表できるかもしれないよ。

「失敗するかもしれない」なんて考えないでいい。
まだ、これから未来の話なんだから、
「いっしょうけんめいがんばってみよう！」って決心してみて。

始まってもいないのに失敗をおそれて心配していたら、
かたに力が入りすぎてつかれてしまう。

「心配だな」の代わりに、「よし！　やるしかないぞ！」
って言えば、ドキドキしていた心が落ち着いていくよ。

始めてみよう

そうそう、これだけは言っておこう。
心配するのは、悪いことばかりじゃないよ。
きけんなことが起きないように、
準備する時間をくれるのだから。

いけないのは、必要以上に心配すること。
「恐竜に出くわしたらどうしよう？」
「地球が滅亡するんじゃない？」
こんなとっぴょうしもない心配は何にもならないってこと。
しっかりおぼえておこう。

そうやって心配する回数をへらして、
チャレンジしつづけていけば、
キミの心もすくすく育っていくよ。

① 最近の心配ごとは
何かな？
3つ書いてみよう。

例：みんなの前で発表
しないといけないのに
うまくできないかも。

② 3つの心配の中で、
一番大きな心配は
どれかな？

③ 一番大きな心配はどうしたら解決できるだろう？
キミだけでは解決できないときは、
だれが解決してくれそうかな？
例：お父さん

何もしたくない。ずっとねていたい。

えいっと
のびをしてみよう。

物干しざおのぬれた洗濯物みたいに、
心がだらりとするときもあるさ。
いらいらして、やる気も出なくて、ずっとねていたくて
部屋のすみっこにでもかくれていたい気分だろう。
心がかぜをひいたんだね。

ゆううつになったら、気分もしずんでしまうよね。
なぜだかなみだも出てきてしまう。
「自分は何もできないダメな子なのかも」と思って落ちこんだり。

しずんだ気分からぬけ出すために、まず大事なことは、
「自分は今、何だか元気が出ない」とキミ自身の気持ちを
そのまま受け止めること。
そういう気持ちになってしまうことはいけないことではないんだ。
何でもかんぺきにこなそうと思うことをやめよう。

どうかな？　できるかな？
少しずつ、やってみてね。

心^{こころ}がかぜをひいたからって、ずっとねているつもりかい?

しばらく休^{やす}んだら、
ふとんをかたづけて、えいっとのびをしてみよう。
外^{そと}に出^でて、おひさまの光^{ひかり}をあびて、風^{かぜ}に吹^ふかれれば
ぺちゃんこだった心^{こころ}はすぐにふかふかさ。

その次^{つぎ}は、おなかの底^{そこ}からさけんでみよう。

「もう、ゆううつじゃない!」

うれしいことや楽^{たの}しいことを想像^{そうぞう}して、
勇気^{ゆうき}を持^もってトライしよう。
ゆううつな気分^{きぶん}なんか、どこかへとんでいってしまうから。

今、ゆううつなのか、そうじゃないのか、
テストしてみようか。
キミの心の状態に○をつけてみよう。

	まったく ない	たまに ある	よく ある
悲しい			
不安だ			
以前みたいに楽しくない			
ふだんよりおこりっぽい			
ねむれない			
とちゅうで投げ出しがちだ			
ごはんを食べるのもめんどうだ			

▶4つ以上「よくある」に○がついたら、
身近な大人に相談しよう。

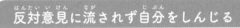
みんながぼくの考え方がおかしいと言う。

ぼくがまちがっているのかな？

まちがいだなんて
決めつけないで。

こんなふうに
考えてみない？

自分なりに考えたことに対して「おかしい」なんて、
話もよく聞いてくれないで否定されたら悲しくなるよね。
自分だけ考え方がおかしいのかもと、不安な気持ちにもなる。
でも、その考え方が○か×かなんて、
かんたんに決められることかな？

キミの考え方に賛成して
味方になってくれる友だちがいればいいけど、
いつでもそうとはかぎらないよね。
だからこそ、大事なのは、「キミ自身」だよ。

もちろん、何の根拠もなく、自分が正しいと主張してはいけないよ。
正しいと言える理由がはっきりしていてこそ、
「自分の考え方はまちがえていない」と言えるだろう。

そんなふうに自分の頭でまっすぐ考えて行動すれば、
きっと、キミの考えに耳をかたむけて、
賛成してくれる人が現れるよ。

15

大昔の人は、「太陽が地球の周りをまわっている」と
長い間しんじていたんだ。

あるとき、望遠鏡で天体を観測していたガリレオ・ガリレイ
という学者が、「地球が太陽の周りをまわっている」
というしょうこを発見したんだ。

ところが人々はガリレオをおかしな人だと決めつけた。
何しろ、今までのじょうしきと正反対のことなんて、
しんじられなかったからね。

ずっとあとになってから、ガリレオが正しかったと証明された。

だからキミも、
ガリレオみたいに自分が正しいと思う考えを大切にして、
思考のつばさを思いっきり広げてみよう。

① キミが友だちとちがっていると感じるのはどんなところだろう？

例：一人で遊ぶのがすき。

② 友だちに「変わっている」と言われるのはどんなときかな？

③ キミが正しいとしんじている考えを3つ書き出してみよう。

例：宇宙には宇宙人がいる。

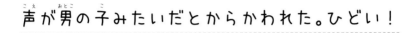

<ruby>偏見<rt>へんけん</rt></ruby>と<ruby>固定観念<rt>こていかんねん</rt></ruby>に<ruby>打<rt>う</rt></ruby>ち<ruby>勝<rt>か</rt></ruby>つ

<ruby>声<rt>こえ</rt></ruby>が<ruby>男<rt>おとこ</rt></ruby>の<ruby>子<rt>こ</rt></ruby>みたいだとからかわれた。ひどい！

みんなちがっていて<ruby>当<rt>あ</rt></ruby>たり<ruby>前<rt>まえ</rt></ruby>。

こんなふうに
考えてみない？

声は、自分でえらぶことができないのに、
それをからかうなんてずいぶんひどいね。
そもそも、女の子の声がおしとやかだったり
男の子が落ち着いた声じゃないといけないなんて、
だれが決めたのかな？

だれに何と言われようと、キミの声は世界にひとつだけ。
ほかの女の子より声が低いからへんという考えのほうが
まちがっている。
その声は、キミだけの特別な声なんだから。

もし、また友だちがからかってきたなら、こう言ってやればいいよ。
「体のことをからかうほうがおかしいわ。
それにわたし、自分の声をとても気に入っているの！」

このとき、大事なことは
キミ自身が自分の声をすきでいて、むねをはっていることなんだ。

男の子の声はこうで、女の子の声はこうじゃなきゃなんて
ずいぶんとこりかたまった考え方だよね。
人間は顔も体形もせいかくもみんなちがっているのだから。

野原にはいろんな花がさいているし、
空の雲はみるみる形を変えていくだろう？
世の中の花がひとつだけ、
雲の形もひとつだけだと想像したら？
そんな世の中、つまらないに決まっている。

つまり、それぞれちがっているということは
この世界の中でも、とてもすてきなことなんだ。

① キミが見た目で人と
ちがっているのは
どんなところかな？
3つ書いてみよう。

例：まゆ毛がこい。

② 公園のハトのむれの中に
1羽だけ色のちがう
ハトがいた。
キミはどう思う？

③ 友だちから太っているとからかわれた。
何と言い返そうか？
例：お母さんの料理がおいしすぎるんだもん。

おばけがこわくて、
ねるときも電気が消せない……。

こわがる必要なんてないよ！

あたりが暗いときは大人だってこわいと思うものさ。
何かがびゅっととび出してきそうだし
ヒュルヒュルという風の音にもはらはらする。
明日のためにねようと電気を消したとたん、
急にこわくなる。

真っ暗やみの中では、ドアノブがおばけの目に見えたりするね。
そんなときはこわがらずにすぐに電気をつければいい。
部屋が明るくなれば、ただのドアノブだと安心できるだろう？
まだしんじられなければ、自分でさわってみればわかる。
力いっぱいにぎってみれば、さらに安心できる。

「な〜んだ、ただのドアノブじゃないか」ってわかれば
こわかった気持ちもどこかへとんでいくはず。

じゃあ、そろそろ電気を消してゆめの国へ行くとしようか。

始めてみよう

注射を打つとき、はりを見たらこわいよね。
「わあ、どんなにいたいんだろう？」
だけどキミはすでに知っているよね。
注射って一瞬チクッとするけど、
わあわあなくほどいたくはないってこと。

つまり何事も、必要以上にこわがることはないんだ。

それでもこわいときは、大きく深呼吸してみよう。
さけそうになるくらい思いっきり口を大きく開けるのも
きき目があるよ。

ものはためし。
今夜からやってみよう。

① キミは何を見たときに
こわいと思う？

例：おふろのかがみ

② それはキミにどんな
ことをしてくるのかな？

③ そのこわいものに対して何か言ってみよう。
何て言ってやろうか？

お父さんもお母さんも、
小さいきょうだいばかりめんどうを見てる！
わたしのこともももっとかまってほしいのに。

もちろん、
キミのこと大すきさ。

26

弟や妹がお父さん、お母さんをひとりじめして、さみしいね。
キミも一度くらいは「自分は拾われてきた子なのかも」
なんて、いじけたことがあるかもしれないね。
ところで、お父さん、お母さんが、
本当にキミのことを見ていないと思う？

お母さんが弟や妹にだけおかずを取ってあげたからって
むっとしたの？
よく考えてみよう。まだ上手にはしを使えないきょうだいを、
お母さんがほうっておくわけがないだろう？
キミがうんと小さかったころ、お母さんはどうしていたかな。
まちがいなく、今と同じことをしてくれていたはずだよ。

だからそんなときは、こう考えてみるのはどう？
「わたしよりずっと小さくて手がかかるから、仕方ないよね」って。
どうかな？　キミのえがおはもどってきたかな？

始めてみよう

自分がほかのきょうだいより愛されていないと落ちこんでしまったら、
思い出してほしい。
キミはこの広い世界にたったひとりしかいない
特別な存在だということを。

キミみたいに考えて、キミみたいに感じて
キミみたいにわらって、キミみたいに行動できる人はほかにいない。
そんな特別なキミのことを心から大切にして、
愛している人はだれだろう？
キミがけがをしたり、病気になったりしたとき、
真っ先にかけつけてくれる人は？

キミが勝手にほかのきょうだいとくらべて
落ちこんでしまっても
キミに注がれている親からの
たっぷりの愛情は
いつだって変わらないよ。

① きょうだいのほうが
　ひいきされていると
　感じるのはどんなとき？

例：お父さんは、いつも
弟と手をつなぐ。

② お父さん、お母さんは、
　なぜそんな行動を取るん
　だろう？

③ もし、ひいきされていると感じたなら、
　その気持ちを手紙に書いて渡してみよう。
　どんなことを書こうか。

同じ問題をまたまちがえちゃった！
お母さんが言うとおり、ぼくは本当に失敗だらけだ。

チェッ

失敗を気にしすぎないで。

こんなふうに
考えてみない？

失敗したら、がっかりするし、落ちこむよね。
これからも失敗がつづきそうで心配かな？
だけどそんなに自分をせめる必要はないよ。
失敗しない人なんていないんだから。

失敗をくり返さないためには、
なぜ失敗したのか明らかにすることが大切なんだ。
失敗の原因がわからなければ、
また同じことをくり返してしまうからね。
だからと言って、むりしてかんぺきにやろうなんて思わないこと。
かえってもっと大きな失敗を招くこともある。

少しずつ乗りこえていこうと思えば、そんなにむずかしくないね。

たとえば、失敗ノートを作ってみるのはどうだろう？
まちがえたことを書き出して見直してみれば、
まちがいもへっていくよ。

31

人間というのは自分のまちがいには目をつぶりたがるくせに
他人の失敗に対してはきびしいよね。

ほかの人に自分の失敗をきびしく指摘されたら
不安になってしまうのはみんないっしょだよ。
だけど失敗をおそれたままでは、キミのためにならない。

そんなときは、
きびしくしかられた言葉を紙に書きとめて、
それを紙ひこうきにして
空にとばすイメージをしてみるのはどうだろう。
いつまでもためこまない、ということだよ。

失敗はだれにでもあるから、
こわがらないで、どんどん行動しよう。
失敗は多いほど、キミを成長させてくれるんだ。

① キミが何度もやって
しまう失敗を
3つ書いてみよう。

例：そうじ当番をわすれる。

_____

_____

_____

_____

_____

_____

② なぜそれをしてしまうん
だろう？　失敗の原因を
考えてみよう。
例：早くあそびに行きたい
気持ちが強いから。

③ どうすれば失敗がへると思う？
例：教室を出る前に当番表を見るくせをつける。

わたしなんかができるわけない。
今度もきっとむりだろうな。

できるはず[゛]ないよ！

やってみようよ！

だいじょうぶ、できるさ！

こんなふうに
考えてみない？

だれかがキミにささやく。
「キミにはむりじゃない？」って。
その声がやけに大きく感じて、ほかの声が聞こえなくなる。
ところでキミの本当の気持ちは、何と言っている？

うまくいくのもいかないのも、
コインのうらおもてみたいに投げてみるまではわからない。
どちらが出るか、だれも確実には言い当てられないのさ。

ところで、始めてもいないのに、どうしてむりだと思うのかな？
それは勇気がなくておくびょうな考え方じゃないかな？

キミの本当の気持ちは失敗をのぞんではいないはずなのに？
成功したいから、こわがっているだけなんだ。

韓国には「始めたら半分」ということわざがあるよ。
一歩ふみ出したら、半分終わったも同じという意味さ。
ふみ出す勇気さえ出せば、あとは進むだけ。
とにかくやってみよう！

始めてみよう

だれだって新しいことを始めるときには、ためらうものさ。
うまくやれるかどうか、わからないから不安になる。

だから「明日からやろう」って口ぐせのように言って、
やることを先送りにしてしまいがちになる。
だけどね、何度も先送りにしているうちは、
結局何も始まらないんだなあ。

そんなときは考え方を変えてみよう。
いつでも成功している未来をイメージするんだ。

準備はいいかい？　じゃあさっそく今からやってみよう。
ぜったいに、うまくいくさ！

① 最近キミがうまくできた
　ことを書いてみよう

例：野球の試合で
ヒットを打てた。

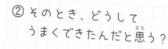

② そのとき、どうして
　うまくできたんだと思う？

③ 近い将来、キミに起こるいいできごとを
　想像して絵にかいてみよう。

いらいらするなあ。プラモデルがうまく作れない。
でも、今夜はねないで完成させるぞ！

休むことだって大切だよ。

こんなふうに
考えてみない?

キミのそのやる気、表彰ものだなあ。
ひとつのことに集中する姿勢がすばらしいよ。
だけど本気で徹夜するつもりかい?
急にねむけがおそってきたら、
もっといらいらしちゃうかもよ?

あわてて食べるとおなかがいたくなるように
何事もあわてるといいことがないんだ。

急いで終わらせようと思うほどにあせりがつのって、
うまくいかなくなる。
ストレスがどんどんたまって、爆発してしまうかもしれないよ。

だから、つらくて困難なときほど、
しっかり休みを取ることが大事なんだ。
おいしいごはんを食べて、すきな本を読んで、
たっぷりねてごらん。
キミのエネルギーが100パーセントになれば、
目標達成はもっと楽になるはず。

始めてみよう

もし、学校の休み時間がなかったらどうなるだろう？
その分、帰宅する時間は早くなるね。

だけど、友だちと楽しく遊ぶ時間はなくなるし、
おいしい給食を食べる時間だってなくなる。
何よりも勉強ばっかり続いて、いやになってしまうだろう。
たいくつすぎて体をくねくねさせすぎて、
タコに変身しちゃうかも!?

休む時間は、人間に新しい力をくれる大事な時間なんだ。
だからキミもつかれたり、かべにぶち当たったりしたときは、
かならず休むようにしよう。

① 学校の休み時間に、
　キミは何をしている？

　例：友だちとおしゃべり。

② どんなときにいらいらを
　感じるかな？

③ キミのいらいら解消法を書いてみよう。
　例：大きな声ですきな曲を歌う。

どうしてわたしにだけ
よくないことばっかり起（お）きるの？
わたしって本当（ほんとう）に運（うん）が悪（わる）いなあ。

強（つよ）い自分（じぶん）になるチャンスなのさ。

こんなふうに
考えてみない？

不幸せなことが続くと、
元気なんて全部どこかへ消えてしまうよね。
「どうしてわたしだけが？」って気持ちにもなる。
だけどつらいことはだれの身にも起こりうるんだ。
だからこそ、それをどうやって受け止めるかが重要だ。

不幸せってじつにやっかいなやつ。
とつぜんおそいかかっては、キミを落ちこませる。
だけど、キミがそいつに抵抗しないままなら、
そいつはキミをぐるぐるにしばりつけて、
本当に何もできなくさせてしまうよ。

つらいことに負けないための第一歩は、
まず、うんとむねをはること。
それから、すきな歌を大声で歌ったり、
思いっきりダッシュしたりしてみるんだ。
そして「これ以上悪くならなくて、よかった！」って
声に出して言ってみよう。

どうかな？　少し心が軽くなっただろう？

世の中が幸せだけでいっぱいなら、どんなにいいだろう?
いやなこともなく、
毎日うれしいことばかりだったら最高だろうね。

だけど、幸せなことばかり続くと、
それが本当に幸せなのかわからなくなるんだ。
いやなことがあるから、幸せのすばらしさを感じられるのだから。

だれでもいやなこと、つらいことはさけられない。
不幸せなできごとは、
幸せになるとちゅうにかならず出合うものなんだ。

だけど、それがわかったキミにはもう、立ち向かう力がある。
それだけは、ぜったいしんじて。

① 今日あったできごとで、
何かついてないことは
あったかな?

例:水たまりをふんで
くつがよごれた。

② ついてないできごとが
あったら、どんな気分に
なる?
例:悲しくなる。

③ その気分からぬけ出すためには
どうしたらいいか、考えて書いてみよう。
例:くつを見ないようにする。

昨日、友だちに言われた「バカ」って言葉が
気になってずっとむかむかする。

わらいとばしちゃおうよ。

46

友だちの言葉がよっぽどショックだったんだね。
頭の上に黒い雲がかかっているような
どんよりした気分だね。
友だちはなんでそんなことを言ったんだろう？
もちろん、キミはバカなんかじゃないさ。

まずはショックを受けたキミの心を落ち着かせよう。
深く息をすって、ゆっくりとはき出すといいよ。

少し気分が落ち着いたら、キミの心と会話してみて。
そして、自分に対してはげましの言葉をかけてみよう。

「バカって言うほうがバカっていうじゃないか」

そして、口の両はしをぐいっと上げて、むりにでもえがおを作る。
その次は、声を出してわらってみよう。
「ぼくがバカだって？　プハハ！　そんなはずないじゃん！」

始めてみよう

キミの周りには、ひょうきんな友だちはいるかな？
かれらはいつでもニコニコわらっていないかい？
考え方をほんの少し変えるだけで、
キミだっていつでもえがおでいられるよ。

小さな失敗をわらいに変えるひみつのわざを教えよう。
たとえば、朝、急いでいて左右ちがうくつ下をはいて
学校に行ってしまったとき、
「ショック！　くつ下が左右バラバラ！　はずかしい〜」
って言うのではなく
「わあ、くつ下バラバラ！　これ、みんなにウケるんじゃない？
ワハハ！」って、先に自分でわらってみるんだ。

明るくわらうたびに、どんどん気分がよくなっていくよ。

① かがみを見て思いっきり
しかめっ面をしてみよう。
その顔はイケてる？

② 次は、かがみを見て
思いっきりえがおを
作ってみよう。
どんな気分になる？

③ キミが知っているおもしろい話を書いてみよう。
そして明日、友だちに話してみよう。

友だちから「目が小さい、キツネみたい」
ってからかわれた。
どうしてわたしはくりくりの目で
生まれなかったんだろう？

そのままのキミがすてき。

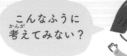

人の見た目をからかうなんてひどい友だちだね。
目の形は人それぞれでも、
その人にとって大切なもの。
キミはコンプレックスに思っているかもしれないけど、
親をうらむのはおかしな話だよ。

どうして大きい目に生んでくれなかったのって、
お父さん、お母さんをうらんだら少しは気が晴れるかい？
だけどそれは、ほんの一瞬だけだよね。
気にしていることをからかわれた声は、
ずっと耳からはなれない。
どうしてかって？
それはキミ自身が自分の目をキツネみたいで
きらいだと考えているからなんだよ。

友だちの言うことにゆさぶられないようにするには、
考え方を変えるといい。
「これも大事なわたしの体の一部だもん」と
どうどうと言ってみよう。

だれにでも個性、「その人らしさ」がある。
キミと100パーセント同じ人間が見つからないのが、
そのしょうこさ。

ちがっていて当たり前なんだから、
目の大きさや肌の色などに、よいも悪いもないのさ。

両手、両足をじっと観察すると、左右でちがうように
キミの体の中にだって、ちがいがある。

キミの目が急にどんぐりみたいになったら、
キミじゃなくなってしまう。
だれかとくらべたりしないで。
今のキミが本当のキミさ。

そんな、ありのままのキミが一番すてきだって気づいて。

① 自分のかたをだいて、
「わたしがわたしで本当
によかった！」って
言ってみよう。
どんな気分かな？

_____

_____

_____

_____

_____

② 自分の体のすきな部分を
絵にかいて、満足した
表情でながめてみよう。

③ 自分への表彰状を
作ろう。

表彰状

名前：

_____ は、個性的な

_____ の持ち主ですので
ここに表彰します。

20 年 月 日

世界で一人だけの自分

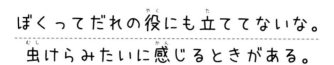

自分を愛する心を育てる

ぼくってだれの役にも立ててないな。
虫けらみたいに感じるときがある。

キミはかけがえのない存在さ。

人の役に立てないことに引け目を感じてしまったのかな。
自分を虫けらみたいだと思ってしまうほどだから、
よっぽどきずついたようだね。
だけど、そろそろ気持ちを切りかえてみようか。

「自分なんかもともとダメな人間だ」なんて、
つい考えてしまう人は多い。
そうやって自分をダメな人間だと決めつけて、
かたいからで心を閉ざしてしまえば、
きずつかずにすむかもしれないからね。

でもね。この世の中に、役立たずの人間なんてどこにもいない。
そのことをわすれずに、
キミの心をおおったかたいからをやぶって、
いつでもふわふわやわらかい気持ちでいよう。
「ぼくはちっぽけかもしれないけど、かけがえのない存在だ」と
となえれば、かたいからもはがれていくよ。

始めてみよう

小さな石ころひとつだって、
この世界になくてはならない大切な物。
ましてや命のあるキミは、
いったいどれほど重要な存在なんだろう？

これ以上、自分をきらいになるようなことを言ってはいけないよ。

必要以上に自分をせめたりするのは、もうやめよう。
不思議なことに、自分で自分のことを大切だと思うと、
周りの人たちもキミを大切な存在だと感じるようになるんだ。

みんながお互いに大切だと思い合う気持ちがあれば、
みんな本当に幸せになれるよね。

① ふだんよく自分に対して
言っている悪口は
あるかな？

例：「たいくつなやつ」

　「そそっかしいやつ」

② ①でえらんだ悪口を、
ほめ言葉に言いかえて
みよう。

例：たいくつなやつ
　⇒ マイペースで冷静な人
　そそっかしいやつ
　⇒ すぐに行動できる人

③ 自分へのほめ言葉を書いたカードを作ってみよう。
悪口を言いそうになったときは、
カードを取り出して見てみよう。

みんな、わたしのことを
よく思ってないみたい。
わたしだっていい人だって思われたいのに。

キミは十分、いい子だよ。

こんなふうに
考えてみない?

友だちにきらわれているような気がするって?
キミの考えすぎかもしれないよ。
心配しすぎはよくないね。
キミは今もいい人でいようと努力しているじゃない。

もしかして、キミ自身が、
友だちづきあいを苦手だと感じているのかもしれないね?

友だちとなかよくしているシーンを思いうかべる方法を知れば、
きっと力がわいてくるはず。
1つめ、友だちといっしょにいる場面を思いうかべてみよう。
2つめ、友だちに何を話すか考えてみよう。
3つめ、最初に話す話の内容を考えてみよう。
4つめ、準備した話を話す練習をしてみよう。

ほら、自信を持って。キミからまず友だちに近づいてみない?

59

始めてみよう

友だちにすかれたいのに、うまくいかないときってあるよね。
それは、キミがほかの人の言葉や状況に合わせて、
自分の気持ちがゆらゆらとゆれ動いてしまっているから
かもしれない。
「あっ、今度はこっち、あっ、今度はあっち」って、
むりをしていないかい。

こうしてみるのはどうかな？
まず、キミ自身のいいところをしっかりしんじてみようよ。
むりして、人に合わせようなんてしなくていいんだ。

キミのいいところをまず自分がしんじたうえで、
親しみやすい人でいよう
という心がけが大事だよ。

① キミはどんなときに
「いい人だね」って
言われたかな？

例：友だちがプリントを
くばるのを手伝ったとき。

② 「いい人」ってどんな人
なんだろう？　キミの
考えを書いてみよう。
例：人のいやがることを
しない人。

③ カッコの中にキミの持っいいところを
書いてみよう。

わたしはいい人だ。わたしには

（　　　　　　　　　　　　）するいいところがある。

今までがんばってもできなかったんだから、
今度もできるはずなんてないよ。

自分をしんじて！
今度はだいじょうぶ。

こんなふうに
考えてみない？

自信がなくなってるのかな。
だけど、キミのやる気が全部消えてしまった
わけじゃないよね？
失敗するかもしれないから心配なんだよね。
もう少しだけ自分をしんじて、一歩ふみ出してみようよ！

「教室で本を読むとき、まちがったらどうしよう？」
「音読の練習はたくさんしたけど、やっぱり不安だな」

おやおや、失敗している姿ばかりを想像するのはやめよう。
すらすらとかっこよく読んでいる自分の姿を想像するんだ。

先生にほめられるところまで想像すれば、なお、いいね。
自分をしんじて、成功する姿をしっかりイメージすれば
自信を取りもどせるよ。

始めてみよう

知らない道を歩くとき、「この道は正しいかな？」と
心配になるよね。
自分のことをまったくしんじられない人は
来た道を引き返したり、歩くことをやめるかもしれない。
逆に、自分のことを強くしんじている人は、
その道をまっすぐつき進んでいく。

目的地に到着できるのはどちらの人だろう？
そう、そのとおり。自分をしんじた人のほうだね。

自分をしんじる心は、知らない道を照らすライトみたい。
キミもそのライトを明るくともしてみよう。

① 自分のことが
しんじられなくなるのは、
どんなときかな？

例：大なわとびでいつも

ひっかかっちゃう。

② キミが努力しても
できないと思うことは
あるかな？

③ ずっとできなかったことができるようになった
ときの姿を想像しよう。
その姿を絵にかいてみよう。

かがみを見るたびに
おでこのほくろが気になっちゃう。
かみでかくしてもすぐ見えちゃう。
なければいいのに。

知らんぷり、知らんぷり。

かがみばかり見ていると、顔をしかめたくなっちゃう？
あちこち気になって、いらいらする気持ち、わかるなあ。
だけど、おでこのほくろは消しゴムでも消せない。
どんな外見で生まれてくるかは、
だれにも決められないからね。

キミは時間さえあれば、かがみを見ていないかい。
「ほくろよ、消えろ！　えい！」って
呪文をとなえているかもしれないね。

かがみを見る時間が増えるほど、
遊ぶ時間も勉強の時間も少なくなる。
ほら、その小さなほくろひとつに、
キミの時間が支配されてしまっているよ。
そうなると、ほくろじゃなくて
自分の時間が消えてしまうことになる。

キミを守ることができる最善の解決策は、「知らんぷり」作戦だ。

「ほくろよ、お前なんか気にならない！」

気にするってことは、蚊にさされるのと同じ。
赤く小さくはれてかゆくて、ずっとかいてしまうだろう?

でも、かいてもかゆみはなくならない。
薬をつけてさわらないでいれば、
時間をかけてゆっくり消えていく。

細かいところに気を取られると、大事なことを見のがしたりする。
自分の持てる注意力には限界がある。
だから余計なことを気にしすぎていたらダメなんだ。

キミの大事な注意力をむだづかいしないようにね。

① キミをなやませている
　ことを3つ書いてみよう。

例：くせの強いくるくる
したかみの毛

② どうしても気になるとき、
　キミはどうする？
　思いつくままに
　書いてみよう。
例：くせ毛がかわいく
見えるかみがたを考える。

③ キミをなやませることを言う相手に、
　「気にしない」という気持ちを伝える言葉を
　書いてみよう。

かくし芸大会とか、いやだな。
ぼくにはみんなにじまんする芸なんかないのに……。

キミのじまんできるところ、
あるじゃん！

こんなふうに
考えてみない？

みんなの前で、かくし芸を見せるなんて、
こまってしまうね。
キミを見つめるみんなの視線がいたいだろう。
早く時間がすぎさってくれればいいのにとねがうだけ……。

みんなの前で歌ったり、おどったりするのは
なれないとむずかしいよね。
有名な歌手だって、
舞台に上がる前はきんちょうしてドキドキするって言うくらいだ。

ところで、キミを見るお客さんがどう思うかなんて、
考える必要はない。
ぜったいにうまくやってみんなをおどろかせようなんて、
思わなくていい。

舞台に上がれたことだけでも、自分自身をほめてあげられれば、
もう十分にすてきなことだよ。

はずかしいときには、顔はまっかっか、足はぶるぶる、
むねはドキドキして、背中にはひやあせが流れる。

ところで、知っているかな？
自信満々の瞬間も、じつは顔が赤くなって、
体がカーッと熱くなっていることを。

もしかすると、はずかしい気持ちと、自信満々の気持ちは
背中合わせの近い関係かもしれないね。

勇気を出して、はずかしさを乗りこえたら、
自信がどんどんわき出てくるよ。

72

① キミはどんな瞬間に
　はずかしいと感じる？

例：手をあげて答えるとき。

② 自分自身をほめてあげた
　くなる瞬間は
　どんなときかな？
例：とび箱をとべたとき。

③ キミ自身について、だれかにじまんしたい
　ところを 3つ書いてみよう。

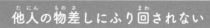

背が低くて、かけっこが一番苦手。
何回走っても落ちこむだけだ。

背が低い？ それがどうした。

こんなふうに
考えてみない？

みんなより背が高いからって、いばってる子もいるよね。
もし、そんな子と徒競走をすることになったら
走り出す前から気おくれして、力が出なくなっちゃうね。
だけど何事もやってみるまではわからない！

自信をなくすのと同時に背までちぢんでしまうみたいだって？
手おくれになる前に、そんなよくない考え方を変えていこう。

まずキミが、お母さんのおなかの中にいたころの写真を
見せてもらおう。
次は生まれて間もないころの写真、そして今まで。
キミが成長してきた写真を順に見てみよう。

「こんなに小さかった自分がこんなに大きくなったんだ」って
しっかり気づくことができたら、こう言ってみよう。

「心配ない、わたしはこれからもっと成長するんだ」

背が低いからって、
高いところにある物を取れないわけじゃないよね?
そう、いすに上って取ればいい。
それに、キミはまだこれからどんどん成長していくじゃないか。

だから、今、背が高い友だちをうらやむ必要はないよ。

それでも背が低いことでむねをいためているなら、
ごはんをしっかり食べて、思い切り運動してみるのはどうだい?

身長よりも、これから成長していくために、
キミが健康な子どもでいるということが何よりも重要さ。

① キミが生まれて間もない
　ころの写真があれば、
　どんなだったか
　よく見てみよう。

例：つめがすごく小さい！

_____

_____

_____

_____

② 背が低いことでのいい
　点を3つ書いてみよう。

③ 健康な体でいるにはどんなことをすれば
　いいだろう？　調べて書いてみよう。

みんな特技があってかっこいいな。
どうして自分には得意なことがないんだろう？

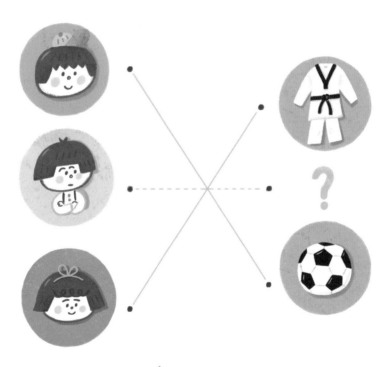

ゆっくり見つけていけば
いいさ。

こんなふうに
考えてみない？

そう考えてしまうこと、あるよね？
だれかとくらべて、何となくみじめな気分になって
お父さんやお母さん、または何かのせいにしたり……。
でもだいじょうぶ、だれでもひとつは特技を持っているんだ。

自分には何も特技がないって悲しまないで。
まだそれが見つかっていないだけ。

キミができることをひとつひとつ、考えてみよう。
整理整頓ができる、
おもしろいことを言って友だちをよくわらわせる、
ごはんを残さず食べられる、
妹や弟のめんどうを見るのが上手など……。

次に、それをもっと上手にやるには
どうしたらいいか考えてみよう。
そうやってひとつずつ考えて行動していくうちに
本当にキミが得意とすることが見つかるよ。

79

できないことがあるから、できることがもっと輝くんだ。
だから、あれができない、
これができないとがっかりする必要はない。
キミができることを探して、それをみがいていけばいいんだ。

韓国に、両手の指が2本ずつしかない、
ピアニストのイ・ヒアという女性がいる。
そんな障害のある彼女の言葉を紹介しよう。

「わたしは指が4本しかないからと悲しむのでなく
指があることに感謝しています。
みなさんも自分が持っているものを最大限生かして
楽しくえがおですごしてほしいのです」

① キミができることを7つ
　書いてみよう。

例：口ぶえがふける。

② その中でいちばんうまく
　できることをひとつ
　えらんでみよう。

③ どうしたらそれがもっと上手にできるように
　なるか考えてみよう。
例：すきな曲をふけるように毎日練習する。

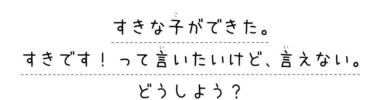

すきな子ができた。
すきです！って言いたいけど、言えない。
どうしよう？

心の声に正直になって
いいんだよ。

こんなふうに
考えてみない？

まずは、おめでとう！
だれかをすきになるという感情はとてもすてきなことさ。
キミが成長しているというしょうこでもある。
でも、なやんでいるようだね。いっしょに考えてみようか。

キミが告白をためらう理由は何？
「え？　別にすきじゃないけど」
「……（聞こえないふり）」
こういう答えをもらいそうだからかな。

ことわられたり、むしされたりしたら、
どんなにつらく悲しいだろう。
だけどもし、思いが通じなかったとしても、
それはキミが価値のない人間だからでは決してない。
相手に、まだキミのことをすきになる準備ができていないとか、
キミと特別な関係になることをのぞんでいないというだけなんだ。

ためらっていないで、キミの心の声に正直になっていいんだよ。

83

ただし、自分の気持ちに正直になると言っても、
相手に対して〝何でも〟やっていいわけじゃない。
悪いことをしたり、だれかをひどい目にあわせたりするなんて
やっていいことじゃないだろう?

気持ちに正直になるというのは、
自分の感情に耳をかたむけるということ。
だれかをすきになってドキドキしたり、ためらったりしている
キミ自身の気持ちに気づこうということさ。

はずかしいからって、その気持ちにむりにふたをしないで!
それは、キミをみりょくてきな人に成長させてくれる
すてきな気持ちなんだから。

① キミにすきな子ができた
とき、どんな言葉で
その気持ちを伝えたら
いいかな?

_____

_____

_____

_____

_____

_____

② 告白する前に、自分に
向かってエールを送ろう。
例:こんな気持ちになれて、
ハッピーだ!!

③ もしすきな子にことわられたり、むしされたり
したとき、どんな気持ちでいればいいかな?
例:気持ちが伝わらなくて残念だけど、
いつもどおり友だちとしてすごせるといいな。

だれかに「手伝って」ってなかなか言えない。
自分がダメなやつみたいではずかしいから。

「手をかして」って言おうよ。

そうだよね、「手をかして」って言うのはかんたんじゃない。
ことわられるかもしれないと思うと、
つい、おくびょうになってしまうよね。
だけど、本当に手伝ってもらわなくてだいじょうぶかい？
キミがひとりでこまっていて、
だれかの助けが必要だっていうのに？

本を読んでいたら、よくわからない部分があった。
キミならどうする？　本を閉じて読むのをやめる？
それはよい方法ではないね。

まずは、「最初から全部わからなくてもだいじょうぶ」
と考えよう。
それから、もう一度読んでみよう。
それでもわからないところがあれば、
周りのだれかの手をかりよう。
助けてもらうということは、
キミがダメだとか弱いということじゃない。

何よりも、だれかの助けをかりることで、
キミが自分自身をきらいにならないですむんだ。

「ちょっと手伝ってもらってもいい？」

だれかに手伝ってもらうことは、決してはずかしいことじゃない。
悪いことでも、何でもない。
それはとても自然なことなんだ。

大人だって、むずかしいときやたいへんなときは
手伝ってもらっているよ。
だれかの助けが必要なときは、ためらわなくていい。
いつでもキミのそばにいる家族や友だち、先生たちが
キミを助けてくれるから。
それに、じつは、たよられる人はちょっぴりうれしいんだ。

だから、心配しないで、だれかの手をかりよう。

① キミがだれかに手伝ってもらいたいときはどんなときかな？

例：たくさんのプリントを一人でくばるのがたいへんなとき。

_____

_____

_____

_____

② だれかに「手伝って」って言ったとき、相手は何と言ったかな？

③ キミがピンチで友だちに手伝ってもらいたいときの状況と、おねがいするときの言葉を書いてみよう。

例：今日の宿題がむずかしくてとけないんだ。ちょっと教えてもらえないかな？

学級委員長になりたいのに、
みんながほかの子のほうがいいって。
どうしてよ?!

キミにはキミの役割がある。

こんなふうに
考えてみない？

ムカついたからって、
おこってばかりいても始まらないから
ひとつひとつ、考えてみようか。
友だちはなんでそんなことを言ったのかな？
学級委員長になれない理由を自分で考えてみたかな？

友だちをまとめるかっこいいリーダーになりたかったんだね。
だけど学級委員長になれるのは、クラスでただひとりだけだ。
友だちがキミに学級委員長をたのまなかったのは、
キミをむししたからじゃない。キミには学級委員長ではない、
もっとふさわしい役割があると考えたからじゃないかな。

たくさんの人が１か所に集まるところでは、
それぞれまかされる役割がある。
ときには自分がのぞまない役割をまかされることだってある。
だけど、興味がなかったこともやってみると
おもしろいかもしれないぞ。
みんなが自分にまかされた仕事をやりとげたとき
お互いに感謝の気持ちをもつことができるよね。

「自分以外、ありえないのに！」なんて、
自分のことをえらいと思いすぎるときは、気をつけよう。

本物のプライドとは、相手を思いやって共感するときに育つんだ。

自分だけが！ と周りをむしすると、けんかになることもある。
自分の思うようにいかなくて、おこりすぎてしまうと、
心が砂漠のようにかわいてしまうかもしれない。

かわいたキミの心に
水のようにしみこんでうるおわせてくれるのは、
ほかでもない、自分にできる役割をやりとげたときに生まれる
お互いに対する「ありがとうの気持ち」だよ。

① 友だちに「キミのおかげ
　だよ」って言われたら
　どんな気持ちになる？

例：うれしくてほっぺたが
むずむずする。

② 「キミのおかげだよ」っ
　て言ってみたい人は
　だれかな？　思いつくだけ
　書いてみよう。
例：となりの席の友だち

③ 「キミのおかげで」を使った例文を3つ作ろう。
例：キミのおかげで今日は大わらいできた。

明日の遠足の持ち物は全部かばんにつめたはず。
だけど何か忘れ物をしている気がして、
全然ねむれない。

かんぺきじゃなくても
いいじゃない。

キミはいつでもかんぺきに準備するタイプなんだね。
自分で持ち物をそろえるなんて、感心だなあ。
それなのに、まだ心配でねむれないって？
あまりにもミスをおそれすぎてやしないかい？

ふとんに入ったのに、持ち物の心配をしているの？
気が気でなくて、何度もかばんを開けて確認しているって？

徹底的に準備するのはすばらしいことだよ。
だけど準備にとらわれて、すいみん不足になったらきついよね。
たとえば、ティッシュを忘れても
友だちにかりればいいじゃないか。

かんぺきな人なんて、この世にいない。
80点でも十分すぎるくらいだ。
人はだれしも、どこか足りない部分があるものさ。
だから心配はもうやめて、明日のためにぐっすりねむろう。

始めてみよう

ごはんをたくときに、お米をとぐと水が白くにごるよね。
何回といでも、いつまでも透明にはならない。

かんぺきにすんだ水になるには、
どれだけくり返さないといけないだろう？
そのうち、お米の栄養分も水といっしょに流れ出てしまう。
かんぺきを求めすぎると、そんをすることもあるんだ。

すべてをかんぺきにこなそうと考えるのではなく、
まず、重要なことだけをきちんとやろうと考えてみよう。

気持ちがずっと軽くなるよ。

① えんぴつで丸を書いて
みよう。その丸は
かんぺきな丸に見える?

② 学校で忘れ物をしたとき
どうすればいいか考えて
みよう。

例:友だちにかりる。

かんぺきな丸ではないけど、
ちゃんと丸に見えるよね?

③ 外出するときに、左右のくつひもをわざと
別々の結び方にして1日過ごしてみよう。
どんな気分になるかな。

NOTE

えらぶのが本当に苦手。頭がいたくなっちゃう。
だれか代わりにえらんでくれないかなあ。

う〜ん……

まずは、えらんでみようよ。

こんなふうに
考えてみない？

のりまきも食べたいし、ナポリタンも食べたい……。
なやみになやんで、
「どれでもいい」なんて言ったことはないかな？
それじゃ、本当に食べたい物が
食べられなくなることもあるよ。

自分でえらべない理由はなぜだろう？
自分の選択がまちがっているかもしれないと不安だから？
「やっぱりあっちにすればよかった」なんて
こうかいしたくないから？
だから、だれかにえらんでもらいたくなっちゃうのかな？
大人になってもずっとだれかにえらんでもらうつもり？

決して急いで決める必要はないよ。
ゆっくり考えてから、ひとつえらんでみよう。

もちろん、「どれでもいい」という答え以外でね。

キミが深い森の中を歩いていて、
道がふたつに分かれていたとしよう。
右にも左にも行きたいとき、キミならどうする？
体をふたつに分けて、片方は左の道に、もう片方は右の道に……
な〜んて、できるわけないよね。

まず、キミは、どちらかひとつをえらぶことになる。
時間をかけてでもどちらかの道をえらんで、進んでみる。
それでも、どうしてももう片方の道が気になるのなら、
もどってきてもうひとつの道を行けば、
どちらとも歩くことは可能だね。
それは自分でえらんだからできるんだ。

キミ自身をしんじて、自分でえらぶ練習を重ねていこう。

① キミにとって大切な
  ことやものを5つ
  書いてみよう。

  例：妹

② その中で一番大切な
  ひとつをえらんで
  書き出そう。

③ どうしてそのひとつにしたのかな？
  理由を書いてみよう。

学芸会のげきの主人公を目指して
いっしょうけんめい練習してきたのに、なれなかった。
がっかりして力がぬけて、何もやる気が起きない。

思いどおりに
いかないときもあるさ。

こんなふうに
考えてみない？

そうだろうね。しぼんだ風船みたいな気分だよね。
主人公以外の役でもがんばろうなんて、
今はとても考えられないよね。
その気持ち、わかるなあ。

気を取り直して、こういう方法をためしてみて。
まず、紙とえんぴつと消しゴムを用意する。
それから、キミがどれだけ練習をがんばってきたのか
紙に全部書く。
紙を見ると、これまでのキミの努力がいちもくりょうぜん。
自分に対してのほこらしさや自信がわいてくるはず。

そうしたら、消しゴムで全部消すんだ。
もったいないって？
心の中で「大事なのは主人公だけじゃないさ！」って
言いながら消してしまおう。

がんばってきた記憶はしっかり体に残っているから、
それが大きな力になって、キミに前に進む元気をくれるよ！

つみ木遊びをしていて、突然ガラガラとくずれたことはあるかな？
せっかくつみ上げたのに、がっかりするよね。
時がもどればいいけど、そんなことはぜったいに起きないから。

つみ木がくずれたときにすることは、ただひとつ。
そう、もう一回、つみ上げればいいよね。

それと同じで、いろいろなことが
キミの思いどおりいかないときはあるんだ。
くやしいけれど、転んでも、
ひざについた土をぱんとはらって立ち上がろう。

「これもまた過去になっていく」そう考えながらね。

① 思いどおりにいかなかっ
　たとき、キミはどうす
　る？

例：だれかにもんくを言う。

_____

_____

_____

_____

_____

② そのとき、キミはどんな
　顔をしていたかな？
　絵にかいてみよう。

③ 努力したけどダメだったことはあるかな？
　そのときにした努力を書いてから、消しゴムで
　全部消してみよう。どんな気分かな？

今日はお母さんがすごくいそがしそう。
こまったな。わたしの服をえらんでほしいのに。

本当は、ひとりで
できるじゃない。

106

いつでもキミに一番似合う服をえらんでくれるのは
お母さんの右に出る人はいないだろう。
だけど、このまま大人になるまでお母さんに
コーディネートしてもらうわけにはいかないよね？

何でもお母さんにやってもらっていたから
「ひとりでできるでしょ」って言われて
何をしていいかわからなくなったかな？
くやしくて、かんしゃくを起こしたりしていないかな？

だいじょうぶ、小さなところから始めてみようか。
まずは、お気に入りのくつ下からえらんでみよう。
それから、かがみを見ながらどの服が自分に似合うか
体に当ててみる。

時間がかかっても、あきらめないで。
自分でやっていくうちに、いつの間にか、
ひとりで、てきぱきできるようになるんだから！

始めてみよう

何でも人にやってもらったら、
王様になったみたいでいい気分だよね。
指一本動かさなくていいから、楽ちんだもんな。

だけど、いつまでもそういうわけにはいかないよね。

自分でできることを、人まかせにしていると、
それがくせになって、かんたんなことまで
できなくなってしまうよ。

キミの体のご主人様は、いったいだれだい？

そう、キミじゃないか。

① 自分で毎日している
　ことは何かな？

例：歯みがきをする。

_____

_____

_____

_____

_____

_____

② キミがふだんひとりで
　やっていることを3つ
　書いてみよう。
　例：つくえの上を
　かたづける。

③ そのうちのひとつをえらんで、どういう手順で
　やっているか細かく書いてみよう。

友だちにかした消しゴムを
返してほしいんだけど
なかなか言い出せない。今、使いたいのに。

びくびくしなくて
いいんだよ。

キミの消しゴム、早く返してほしいよね。

おこるわけにもいかないし、こまったね……。

だけど、言うべきことは言葉で伝えなくちゃ。

きらわれるかもしれないって？　だいじょうぶ。

キミがためらうのは、友だちとのなかを大事にしているから。

友だちが気を悪くして、

なかが悪くなったらどうしようと心配だから。

それが相手の顔色をうかがうってこと。

だけど消しゴムは今すぐ必要なんだから、こう言えばいい。

「今、消しゴムを使いたいから、返してもらっていい？」

いつまでも顔色をうかがっていないで、

友だちの目を見てはっきり言ってみよう。

きっと友だちも「うっかりしてた、ごめんね」って

すぐに返してくれるから。

111

消しゴムを返してもらうことがなかなか言い出せないキミは
それだけ相手の気持ちを思いやれる心を持っているということさ。
つまりキミは、ほかの人よりも、相手の気持ちがわかる人なんだ。

とてもすばらしいことだけれど、いつでも気をつかいすぎては
キミの心がとてもつかれてしまう。

「相手はいやな思いをするかな」「きらわれちゃうかな」と
キミはいつも考えてしまうかもしれない。

だけどね、じつは、ほかのみんなは、
キミほどに相手のことを気にしていないよ。

だから、キミは自分が思ったことを、
もっとどうどうと言っていいんだ。

① お父さん、お母さんに
　言いたくても言えない
　ことはあるかな？

_____
例：ダンスを習ってみたい。
_____
_____
_____
_____
_____
_____

② そのとき、言えなかった
　言葉をここに書いて
　みよう。
　例：テレビで見て、
　やってみたいと思った。

③ その言葉を、この先、いつ言おうか？
　どんな顔をして言えばいいかな？
　例：夏休みが始まるとき。しんけんな顔で。

もっと遊びたいのに、家に帰る時間だって。
悲しくなってなみだが出てきちゃった。

やだ、
もっと遊ぶ〜！

ないてないで
言葉で言ってごらん。

やりたいことを禁止されたからと、大声でなく。
それは、悲しくて出るなみだじゃなくて、
思いどおりにできなくてくやしくて出るなみだだね。
でも、ないたらいつでもキミの思いどおりになるかな？

キミの気がすむまでなきつづけたら、どうなるかな？
まずはお母さんやお父さんにおこられるだろう。
そうしたら、キミはもっといらいらして、どんどん苦しくなる。

なかないで、キミの考えていることを言葉で言ってみないか？
周りの大人たちもキミの言葉に耳をかたむけてくれるはず。
そして、どうしたらいいか、キミと話し合うだろう。

だから、まず、キミがどんな気持ちなのかを話すべきだ。
いつもキミのことを考えているお母さん、お父さんだって、
言葉で言わないかぎり、キミの気持ちはわからないのだから。

115

始めてみよう

生まれたばかりの赤ちゃんがないているのは、
言葉を習っていないからさ。
「おなかがすいたよ」
「いたいよ」
「うんちが出たよ」って、言葉で言う代わりにないているんだ。

だけどキミはじゅうぶん、
自分の考えを言葉で表すことができるじゃないか。
なきたい気持ちをおさえて、正直に言ってみよう。
「悲しいよ」
「食べたいよ」
「やりたいよ」

なきわめいて、だだをこねるのはとてもつかれるだろう。
キミの体のエネルギーをむだに使うことはないよ。

116

① 言葉で言わずになくだけ
なら、キミの体は
どうなる？
言葉をえらんで
カッコに入れてみよう。

[むね、目、頭]
（　　　　）が赤くなり、
まぶたがはれる。
（　　　　）がくらくらする。
（　　　　）がはりさけそうに
いたい。

② なぜ言葉で表現しないと
いけないのか。
その理由は何だと思う？

③ キミが最近体験した、一番悲しいことは何かな。
そのときの悲しさを言葉で表してみよう。
例：お兄ちゃんがぼくのアイスクリームを
食べたから、悲しい。あとで食べようと
取っておいたのに。

友だちのごかいをときたいのに、
ため息しか出ない。
ため息おばけになっちゃったみたい。

勇気を出して話してみよう。

友だちに言いたいことで
頭の中がいっぱいになっているのに
ため息しか出ないなんて、ずいぶんともどかしいね。
どうしてその言葉を口から出すことができないんだろう？

体の具合が悪くて、友だちのおたんじょう会に行けなかったのに
「仮病だったんだろう？」と言われて、
びっくりして言い返せなかったんだね。
さそってもらったのに行けなかったからもうしわけないし、
話しかけるのがこわいんだね。

キミは本当にこのまま、何も言わないほうがいいのかな？
下手に説明して、きらわれてしまうのはいやだって？

まずは、大きく息をすって、はき出したあとにこう言ってみよう。
「おたんじょう会に行けなくてごめんね。
その日、体の具合が悪かったんだ。
元気だったらぜったい行きたかったよ」

キミが言葉で言ってくれないと、
キミが何を考えているか友だちもわからないよね。
友だちがキミと同じ考えとはかぎらないから。

ごかいを生まないためにも、言葉は大事だ。
できるだけ、冷静な表情で
「これこれこういう理由で、こうなんだ」と説明しよう。

キミがおこりながら話せば、
状況はもっとこじれちゃうこともある。
できるだけおだやかに、ゆっくり、はっきり話そう。

口で言うのがむずかしいときは、
手紙でもメールでもいいんだよ。
キミの思いを伝えよう。

① キミは言いたいことを
言うタイプ？ それとも
がまんするタイプかな？

_____

_____

_____

_____

_____

_____

_____

② 言いたいことが
言えなかったとき、
どんな気分になる？
例：むねのおくが
重たくなる。

③ 家族、先生、友だちなどに、これまでキミが
言えなかったことがあれば、手紙に書いて
伝えてみよう。

わたしは悪くないのに！
だから、あれこれ言ってこないで。

まちがいをみとめて、
次に進もう。

キミは正しいつもりなのに、
人からあれこれ言われていじをはっているのかな。
でももし、おこられるのがいやで
言い訳をしているんだったら、その行動は正しくないなあ。

キミがまちがいをみとめないような悪い子じゃないって、
わかっているよ。
まちがいをみとめたら自分がダメなやつと思われそうだから、
いやなんだよね？
どんな人も、自分にいやなことが起こりそうなときには
まず、さけようとするものだ。

だけど、いつまでもそうやってぷんぷんしていられるかな？
心の中にもやもやしたゴミが残って、すっきりできないよ？
ゴミを捨ててきれいにふき取ったら、
すごくさわやかな気分になるだろう。

自分のために勇気を出して、言ってごらんよ。
「わたしがまちがってた。ごめんなさい」とね。

自分が悪かったことをみとめて、
あやまるというのはかんたんじゃないよね？

あやまるときに「ごめんなさい」とだけ言えばいいわけじゃない。
キミが何について悪かったのか、きちんと話してこそ
心からあやまってくれているんだなと
相手も感じることができるんだ。

たとえば、友だちの色えんぴつをうっかり折ってしまったとき
こう言えばいいね。

「かりていた色えんぴつを折ってしまって、ごめんなさい。
これからは、気をつけて使うね」

① 自分が悪いとわかって
いて、あやまれなかった
ときはある？

例：友だちの本をちょっぴり
よごしてしまった。

② あやまったのに友だちが
ゆるしてくれなかった。
なぜだと思う？
例：ほんとうに悲しかった
のかも。

③ うっかり友だちの服をよごしてしまったとき、
何と言ってあやまったらいいか書いてみよう。

いっしょうけんめいに宿題をして提出したのに、
わたしより上手な友だちがたくさんいた。
がんばってそんしちゃった。

よくがんばったなあ。

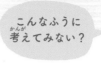

今回の宿題に、ずいぶん自信があったんだね。
先生にほめられる場面まで想像して、期待が大きかった分
がっかり、ひょうしぬけしてしまったんだろう。
だからって「がんばってそんした」なんてことがあるかな？

「がんばらないで適当にやっておけばよかったよ」なんて
キミが結果だけを友だちとくらべようとするから、
そんなふうに思うんだ。
だけど、キミだって友だちと同じくらい
いっしょうけんめいやったじゃないか？

今回は先生からほめられなかったかもしれないけれど
キミがいっしょうけんめいがんばったってことは、
だれよりもキミ自身がみとめてあげなくちゃ。

自分のかたをたたきながら、「よくがんばったなあ」って
自分をはげまそう。

始めてみよう

アメリカの大統領だったエイブラハム・リンカーンという人を
知っているかな。
どれい制度をめぐってふたつに分かれた国を、
再びひとつにまとめた人だ。
けれども、不幸にもピストルでうたれてなくなってしまった。
そのとき、リンカーンのポケットに、
めがねやハンカチなどといっしょに、
古びた新聞の切りぬきが入っていたんだ。
そこにはこんなことが書かれていた。

「リンカーンは自分の仕事に真剣に取り組んでいる、
すばらしい大統領である」

リンカーンほどの人も、つらいときには
その言葉を見て自分をはげましていたんだ。
キミもリンカーンをまねして、
自分をはげます言葉を持ってみるのもいいかもね。

① キミが最近いっしょう
　けんめいやったことは
　何かな？

　例：お皿洗いを手伝った。

_____

_____

_____

_____

_____

_____

② キミに元気をくれる言葉
　は何だろう。その言葉を
　紙に書いて持ち歩いて
　みよう。

③ 今日一日がんばった自分に、どんなごほうびを
　あげようか？

何のとりえもないぼくに、
いったい何ができるんだろう？
世の中はぼくにはできないことだらけだ……。

キミにできること、
たくさんあるよ！

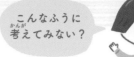

キミの心の中に大きなかげができているみたいだね。
だれかさんとくらべて、
自分がちっぽけな存在に思えたのかな。
キミの才能は、今は目立たないかもしれない。
だけど、将来はまだこれからだぞ。

だれでもみんな、生まれたときから
才能の「たね」を持っているんだ。
たねは、土にまいて水をあたえておひさまの光をあびて、
ようやく根がはって花が開いて実がなるだろう？

それなのに、最初から何のとりえもないたねだと決めつけて
捨ててしまったら、どうだろう？
実がなるどころか、芽も出ない。くさってしまうこともある。
ひょっとしたら、そのたねはすごくりっぱな木に
なったかもしれないのにさ。

「ぼくはできる」と言いながら、
むねの前でガッツポーズをしてみよう。
世の中には、キミができることのほうがずっと多いんだ。

もちろんトップになることはすばらしいけど、
かならずトップである必要はない。
大事なことは、自分の力を全部出し切ろうという姿勢さ。

自分の才能なんかたいしたことないって？
その才能を手に入れるためにキミがしてきた努力を
思い出してみよう。
そして、あせのしみこんだキミの才能を
思い切りはばたかせてみよう。

家族や友だち、身近な人たちなど、
周りの助けをかりたっていい。

真剣なキミの目を見たら、
みんな手をかしてくれるはずさ。

① キミが持っている才能の
「たね」を3つ書いて
みよう。

例：りんごをむくのが上手。

_____

_____

_____

_____

_____

_____

② その才能をどうやって
みがいていくか、
方法を考えてみよう。
例：りんご以外のものも
上手にできるようになる。

③ 才能を生かしたキミはどんな大人になると
思う？ 未来の姿を絵にかいてみよう。

自尊感情
テスト

キミの自尊感情は高い？ 低い？

自尊感情とは自分自身を大切に思う気持ちのこと。
キミは自分自身をどう考えているだろう。
次の質問を読んで、キミの思いに一番近いところに
○をつけてみよう。

質問	まったく そう 思わない	だいたい そう思う	そう思う	かなり そう思う
ほかの人と同じくらい 自分は価値がある。	1	2	3	4
何事もまよわず 決定することができる。	1	2	3	4
長所がたくさんある。	1	2	3	4
ほかの人と同じくらい 何でもできる。	1	2	3	4
幸せだ。	1	2	3	4
自分のことを よくわかっている。	1	2	3	4
かんたんにあきらめたり しないほうだ。	1	2	3	4
人気者だ。	1	2	3	4
自分を大切にしている。	1	2	3	4
今、していることに 満足している。	1	2	3	4

▶ 30点以上…自尊感情が高いほうです。すばらしいね。

▶ 20 ～ 30点…自尊感情はふつうです。少しずつ高めていこう。

▶ 20点以下…自尊感情が低いほうです。もっと自分をすきなれるといいね。

※アメリカのグレッグ・ローゼンバーグ博士が開発した自尊感情テストを参考に作成

自由ノート キミが感じたこと、考えたことを書きとめておこう!

・著・

イ ジョンホ

ソウル生まれ。大学で教育学と国文学を専攻する。
2015年第13回プルン文学賞「新しい作家賞」を受賞し、
童話作家として活動したのち、子どもと青少年のための本の執筆に入る。

・絵・

パン イニョン

大学で陶芸を専攻したのち、フリーのイラストレーターとして活動。
単行本、広告、ポスター、パッケージ、学習誌、
教科書など多様な媒体にあたたかみのあるイラストを提供している。

・訳・

岡崎暢子

韓日翻訳・編集者。1973年生まれ。熊本県出身。
女子美術大学芸術学部デザイン科卒業。
在学中より韓国語に興味を持ち、高麗大学などで学ぶ。
訳書に『あやうく一生懸命生きるところだった』(ダイヤモンド社)、
『クソ女の美学』(ワニブックス)などがある。

じ ぶん
自分をすきになる

れん しゅう ちょう
こころの練習帳

2020年11月23日　初版第1刷発行

著　イ ジョンホ

絵　パン イニョン

訳　岡崎暢子

発行者　野村敦司

発行所　株式会社小学館
　〒101-8001　東京都千代田区一ツ橋2-3-1
　電話 編集 03-3230-5628 販売 03-5281-3555

印刷所　凸版印刷株式会社

製本所　株式会社若林製本工場

監修協力　渡辺弥生（法政大学教授　専門：発達心理学）

装丁　albireo

ISBN978-4-09-227231-6
Japanese Text © Nobuko Okazaki 2020 Printed in Japan